LENNY LANGOSTA
— SE QUEDA A CENAR —

Finn Buckley *y* Michael Buckley

Ilustrado por
Catherine Meurisse

LIBROS DEL ZORRO ROJO

Para Sisi y Titi (primos de Finn)
y Alison (madre de Finn),
F. B.

Para Elvira,
C. M.

Título original / Original title:
Lenny the Lobster Can't Stay for Dinner

© 2019, del texto: Finn y Michael Buckley
© 2019, de las ilustraciones: Catherine Meurisse
© 2019, Phaidon Press Limited

Los derechos de esta edición publicada por
Libros del Zorro Rojo fueron negociados a través
de Phaidon Press Limited, en Regent's Wharf,
calle All Saints, Londres N1 9PA, Inglaterra.

This Edition has been published by
Libros del Zorro Rojo under licence from
Phaidon Press Limited, of Regent's Wharf,
All Saints Street, London N1 9PA, England.

© 2019, Libros del Zorro Rojo
Barcelona - Buenos Aires - Ciudad de México
www.librosdelzorrorojo.com

Dirección editorial: Fernando Diego García
Dirección de arte: Sebastián García Schnetzer
Traducción y edición: Estrella B. del Castillo
Corrección: Sara Díez Santidrián

Primera edición: marzo de 2019

I S B N: 9 7 8 - 8 4 - 9 4 7 7 3 5 - 8 - 7
Depósito legal: B - 4 1 5 5 - 2 0 1 9

Impreso en Italia

Lenny Langosta había recibido una invitación
para una cena de gala. ¡Qué gran honor!

Se había puesto su mejor sombrero, peinado los bigotes y pulido las pinzas. ¡Irresistible!

Había comprado flores para
los anfitriones,

una deliciosa tarta
de chocolate para
el postre

y chicles para los niños.

¿Quién no iba a querer a Langosta en una cena de gala?
¡Era tan agradecido!

Nada más entrar, todos se pusieron
muy contentos de verlo.

¡Contentísimos! Quizá incluso excesivamente contentos…

Le dieron la bienvenida a Lenny
con un regalo: dos brazaletes
elásticos para sus pinzas.

—¿Por qué…? —dijo Lenny—.
¡Oh, gracias! ¡Qué detalle!
Hacen juego con mi hermoso sombrero.

Luego, todos se ataron
al cuello un babero con la foto
de Lenny.

—¡No tenía ni idea de que yo
fuera el invitado de honor! —exclamó Lenny.

*¡UN MOMENTO, LECTOR! ¿No resulta un poco sospechosa
esta fiesta? ¿Crees que Lenny debería quedarse a cenar?
Si crees que sí, pasa la página. Pero si crees que debería salir
de allí antes de que sea demasiado tarde, salta a la página 22.
¡Decide rápido! Los comensales parecen hambrientos.*

Los anfitriones lo invitaron a darse un baño caliente antes de cenar. Una vieja costumbre familiar.

«Un baño caliente... suena muy relajante», pensó.

Así que Lenny se puso su traje de baño,
echó un vistazo al interior de la bañera y dio
un elegante salto…

… pero, en ese instante, la pequeña Imogen
se abalanzó sobre él y lo agarró en el aire.
Antes de que pudieran detenerla, huyó de allí
llevándose a Lenny bien lejos.

—Jovencita, ¿qué se supone que estás haciendo? Esto es muy desconsiderado. ¡Qué manera de aguarme la fiesta!

Imogen pedaleaba a toda velocidad en dirección
a la playa, sin prestar atención al bla, bla, bla
de Lenny. Y al llegar a un acantilado…
¿Adivináis lo que hizo?

—Es usted libre, señor Langosta.
¡Le he salvado la vida! —gritó.

—¡Cielo santo! ¿Que me has salvado la vida?
¡Lo que has hecho ha sido arrugarme
los bigotes! —chilló.

Lenny estaba histérico. Sabía que si no regresaba
a la fiesta, se perdería la cena.

Cuando por fin consiguió llegar, Lenny
se aseguró de que Imogen no le arruinara
de nuevo el festín.

La dejó fuera y cerró con llave.

—¡Que empiece el banquete! ¡Hurra!

¡OH, NO! Lenny ha tomado la decisión equivocada al volver a la fiesta. ¡No podemos dejar que la historia acabe así! Volvamos al principio y cuando sea el momento de elegir, asegurémonos de que Lenny NO se queda a cenar.

De repente Lenny vio la mantequilla, la olla de agua
hirviendo, y oyó rugir las tripas de los niños.
¡TENÍA que huir de allí!

No podía, no debía quedarse a cenar.
Pero sus anfitriones parecían dispuestos a todo
con tal de que se quedara.

«¡Lenny Langosta, al ataque!», se dijo. No era la primera vez que se veía en una encerrona, sabía lo que tenía que hacer.

¡TARTA
A LA MÁS
ALTA!

¡NARDOS COMO DARDOS!

Y CHICLES BOLOS
COMO BALAS...

Mientras Lenny se abría paso para salir
de la cena de gala, ocurrieron algunas cosas
difíciles de explicar…

… pero, a pesar de sus trucos ninja, el grupo consiguió acorralarlo: eran muchos y estaban muy enfadados. ¡Langosta lo tenía crudo!

A punto estuvo de pasar lo peor, suerte
que la pequeña Imogen acudió en su ayuda.
¿Con qué? ¡Con un menú de comida china!

Bien, al principio resultó bastante
extraño compartir unos «dumplings»
con aquella gente. Pero Lenny Langosta
era un tipo optimista:

—¿De veras queríais comerme? —reía Lenny
con la boca llena—. ¡Qué disparate!

Todo el mundo se partía de risa, hasta que…

—¡Caramba! Se han olvidado de traer el «chow mein»
de langosta.

Fin